petite
poucette

D0368114

Préparation de copie : Valérie Gautheron
Relecture : Axelle Maldidier
Mise en pages : Marina Smid

239, rue Saint-Jacques 75005 Paris
www.editions-lepommier.fr

petite
poucette

michel serres
de l'Académie française

MANIFESTES

Éditions
Le Pommier

Pour Hélène,
formatrice des formateurs de Petite Poucette,
auditrice des auditeurs des Petits Poucets

Pour Jacques, poète,
qui les fait chanter

1. Petite Poucette

Avant d'enseigner quoi que ce soit à qui que ce soit, au moins faut-il le connaître. Qui se présente, aujourd'hui, à l'école, au collège, au lycée, à l'université ?

I

Nouveautés

Ce nouvel écolier, cette jeune étudiante n'a jamais vu veau, vache, cochon ni couvée. En 1900, la majorité des humains, sur la planète, travaillait au labour et à la pâture ; en 2011 et comme les pays analogues, la France ne compte plus que un pour cent de paysans. Sans doute faut-il voir là une des plus fortes ruptures de l'histoire depuis le néolithique. Jadis référée aux pratiques géorgiques, nos cultures, soudain, changèrent. Reste que, sur la planète, nous mangeons encore de la terre.

Celle ou celui que je vous présente ne vit plus en compagnie des animaux, n'habite plus la même terre, n'a plus le même rapport au monde. Elle ou il n'admire qu'une nature arcadienne, celle du loisir ou du tourisme.

Il habite la ville. Ses prédécesseurs immédiats, pour plus de la moitié, hantaient les champs. Mais, devenu sensible à l'environnement, il polluera moins, prudent et respectueux, que nous autres, adultes inconscients et narcisses.

Il n'a plus la même vie physique, ni le même monde en nombre, la démographie ayant soudain, pendant la durée d'une seule vie humaine, bondi de deux vers sept milliards d'humains ; il habite un monde plein.

Ici, son espérance de vie va vers quatre-vingts ans. Le jour de leur mariage, ses arrière-grands-parents s'étaient juré fidélité pour une décennie à peine. Qu'il et elle envisagent de vivre ensemble, vont-ils jurer de même pour soixante-cinq ans ? Leurs parents héritèrent vers la trentaine, ils attendront la vieillesse pour recevoir ce legs. Ils ne connaissent plus les mêmes âges, ni le même mariage ni la même transmission de biens.

Partant pour la guerre, fleur au fusil, leurs parents offraient à la patrie une espérance de vie brève ; y courront-ils de même avec, devant eux, la promesse de six décennies ?

Depuis soixante ans, intervalle unique dans l'histoire occidentale, il ni elle n'ont jamais connu de guerre, ni bientôt leurs dirigeants ni leurs enseignants.

Bénéficiant d'une médecine enfin efficace et, en pharmacie, d'antalgiques et d'anesthésiques, ils ont

moins souffert, statistiquement parlant, que leurs
prédécesseurs. Ont-ils eu faim ? Or, religieuse ou laïque,
toute morale se résumait en des exercices destinés à
supporter une douleur inévitable et quotidienne :
maladie, famine, cruauté du monde.

Ils n'ont plus le même corps ni la même conduite ;
aucun adulte ne sut leur inspirer une morale adaptée.

Alors que leurs parents furent conçus à l'aveuglette, leur naissance est programmée. Comme, pour
le premier enfant, l'âge moyen de la mère a progressé
de dix à quinze ans, les parents d'élèves ont changé
de génération. Pour plus de la moitié, ces parents ont
divorcé. Ont-ils laissé leurs enfants ?

Il ni elle n'ont plus la même généalogie.

Alors que leurs prédécesseurs se réunissaient dans
des classes ou des amphis homogènes culturellement, ils
étudient au sein d'un collectif où se côtoient désormais
plusieurs religions, langues, provenances et mœurs.
Pour eux et leurs enseignants, le multiculturalisme
est de règle. Pendant combien de temps pourront-ils
encore chanter, en France, l'ignoble « sang impur » de
quelque étranger ?

Ils n'ont plus le même monde mondial, ils n'ont plus
le même monde humain. Autour d'eux, les filles et les

fils d'immigrés, venus de pays moins nantis, ont vécu des expériences vitales inverses des leurs.

Bilan temporaire. Quelle littérature, quelle histoire comprendront-ils, heureux, sans avoir vécu la rusticité, les bêtes domestiques, la moisson d'été, dix conflits, cimetières, blessés, affamés, patrie, drapeau sanglant, monuments aux morts…, sans avoir expérimenté, dans la souffrance, l'urgence vitale d'une morale ?

II

Voilà pour le corps ;
voici pour la connaissance

Leurs ancêtres fondaient leur culture sur un horizon temporel de quelques milliers d'années, ornées par l'Antiquité gréco-latine, la Bible juive, quelques tablettes cunéiformes, une préhistoire courte. Milliardaire désormais, leur horizon temporel remonte à la barrière de Planck, passe par l'accrétion de la planète, l'évolution des espèces, une paléoanthropologie millionnaire.

N'habitant plus le même temps, ils vivent une tout autre histoire.

Ils sont formatés par les médias, diffusés par des adultes qui ont méticuleusement détruit leur faculté d'attention en réduisant la durée des images à sept secondes et le temps des réponses aux questions à quinze, chiffres officiels ; dont le mot le plus répété est « mort » et l'image la plus représentée celle de cadavres.

Dès l'âge de douze ans, ces adultes-là les forcèrent à voir plus de vingt mille meurtres.

Ils sont formatés par la publicité : comment peut-on leur apprendre que le mot « relais », en langue française, s'écrit « -ais » alors qu'il est affiché dans toutes les gares « -ay » ? Comment peut-on leur apprendre le système métrique quand, le plus sottement du monde, la SNCF leur fourgue des S'Miles ?

Nous, adultes, avons transformé notre société du spectacle en une société pédagogique dont la concurrence écrasante, vaniteusement inculte, éclipse l'école et l'université. Pour le temps d'écoute et de vision, la séduction et l'importance, les médias se sont saisis depuis longtemps de la fonction d'enseignement.

Critiqués, méprisés, vilipendés, puisque pauvres et discrets, même s'ils détiennent le record mondial des prix Nobel récents et des médailles Fields par rapport au nombre de la population, nos enseignants sont devenus les moins entendus de ces instituteurs dominants, riches et bruyants.

Ces enfants habitent donc le virtuel. Les sciences cognitives montrent que l'usage de la Toile, la lecture ou l'écriture au pouce des messages, la consultation de

Wikipédia ou de Facebook n'excitent pas les mêmes neurones ni les mêmes zones corticales que l'usage du livre, de l'ardoise ou du cahier. Ils peuvent manipuler plusieurs informations à la fois. Ils ne connaissent, ni n'intègrent, ni ne synthétisent comme nous, leurs ascendants.

Ils n'ont plus la même tête.

Par téléphone cellulaire, ils accèdent à toutes personnes ; par GPS, en tous lieux ; par la Toile, à tout le savoir : ils hantent donc un espace topologique de voisinages, alors que nous vivions dans un espace métrique, référé par des distances.

Ils n'habitent plus le même espace.

Sans que nous nous en apercevions, un nouvel humain est né, pendant un intervalle bref, celui qui nous sépare des années 1970.

Il ou elle n'a plus le même corps, la même espérance de vie, ne communique plus de la même façon, ne perçoit plus le même monde, ne vit plus dans la même nature, n'habite plus le même espace.

Né sous péridurale et de naissance programmée, ne redoute plus, sous soins palliatifs, la même mort.

N'ayant plus la même tête que celle de ses parents, il ou elle connaît autrement.

Il ou elle écrit autrement. Pour l'observer, avec admiration, envoyer, plus rapidement que je ne saurai jamais le faire de mes doigts gourds, envoyer, dis-je, des SMS avec les deux pouces, je les ai baptisés, avec la plus grande tendresse que puisse exprimer un grand-père, Petite Poucette et Petit Poucet. Voilà leur nom, plus joli que le vieux mot, pseudo-savant, de « dactylo ».

Ils ne parlent plus la même langue. Depuis Richelieu, l'Académie française publie, à peu près tous les vingt ans, pour référence, le *Dictionnaire* de la nôtre. Aux siècles précédents, la différence entre deux publications s'établissait autour de quatre à cinq mille mots, chiffre à peu près constant ; entre la précédente et la prochaine, elle sera de trente-cinq mille environ.

À ce rythme, on peut deviner qu'assez vite nos successeurs pourraient se trouver, demain, aussi séparés de notre langue que nous le sommes, aujourd'hui, de l'ancien français pratiqué par Chrétien de Troyes ou Joinville. Ce gradient donne une indication quasi photographique des changements que je décris.

Cette immense différence qui touche la plupart des langues tient, en partie, à la rupture entre les métiers des années récentes et ceux d'aujourd'hui. Petite Poucette et son ami ne s'évertueront plus aux mêmes travaux.

La langue a changé, le labeur a muté.

III

L'individu

Mieux encore, les voilà devenus tous deux des individus. Inventé par saint Paul, au début de notre ère, l'individu vient de naître ces jours-ci. De jadis jusqu'à naguère, nous vivions d'appartenances : français, catholiques, juifs, protestants, musulmans, athées, gascons ou picards, femmes ou mâles, indigents ou fortunés..., nous appartenions à des régions, des religions, des cultures, rurales ou urbaines, des équipes, des communes, un sexe, un patois, un parti, la Patrie. Par voyages, images, Toile et guerres abominables, ces collectifs ont à peu près tous explosé.

Ceux qui restent s'effilochent.

L'individu ne sait plus vivre en couple, il divorce ; ne sait plus se tenir en classe, il bouge et bavarde ; ne prie plus en paroisse. L'été dernier, nos footballeurs n'ont pas su faire équipe ; nos politiques savent-ils encore construire un parti plausible ou un gouvernement stable ? On dit partout mortes les idéologies : ce sont les appartenances qu'elles recrutaient qui s'évanouissent.

Ce nouveau-né individu, voilà plutôt une bonne nouvelle. À balancer les inconvénients de ce que les vieux grincheux appellent « égoïsme » par rapport aux crimes commis par et pour la *libido* d'appartenance – des centaines de millions de morts –, j'aime d'amour ces jeunes gens.

Cela dit, reste à inventer de nouveaux liens. En témoigne le recrutement de Facebook, quasi équipotent à la population du monde.

Comme un atome sans valence, Petite Poucette est toute nue. Nous, adultes, n'avons inventé aucun lien social nouveau. L'entreprise généralisée du soupçon, de la critique et de l'indignation contribua plutôt à les détruire.

Rarissimes dans l'histoire, ces transformations, que j'appelle « *hominescentes* », créent, au milieu de notre temps et de nos groupes, une crevasse si large et si évidente que peu de regards l'ont mesurée à sa taille, comparable à celles, visibles, au néolithique, au début de l'ère chrétienne, à la fin du Moyen Âge et à la Renaissance.

Sur la lèvre aval de cette faille, voici des jeunes gens auxquels nous prétendons dispenser de l'enseignement, au sein de cadres datant d'un âge qu'ils ne reconnaissent plus : bâtiments, cours de récréation, salles de classe, amphithéâtres, campus, bibliothèques, laboratoires, savoirs même..., cadres datant, dis-je, d'un âge et adaptés à une ère où les hommes et le monde étaient ce qu'ils ne sont plus.

Trois questions, par exemple.

IV

Que transmettre ?
À qui le transmettre ?
Comment le transmettre ?

Que transmettre ? Le savoir !

Jadis et naguère, le savoir avait pour support le corps du savant, aède ou griot. Une bibliothèque vivante… : voilà le corps enseignant du pédagogue.

Peu à peu, le savoir s'objectiva : d'abord dans des rouleaux, sur des vélins ou parchemins, supports d'écriture ; puis, dès la Renaissance, dans les livres de papier, supports d'imprimerie ; enfin, aujourd'hui, sur la Toile, support de messages et d'information.

L'évolution historique du couple support-message est une bonne variable de la fonction d'enseignement. Du coup, la pédagogie changea au moins trois fois : avec l'écriture, les Grecs inventèrent la *paideia* ; à la suite de l'imprimerie, les traités de pédagogie pullulèrent. Aujourd'hui ?

Je répète. *Que transmettre? Le savoir? Le voilà, partout sur la Toile, disponible, objectivé. Le transmettre à tous? Désormais, tout le savoir est accessible à tous. Comment le transmettre? Voilà, c'est fait.*

Avec l'accès aux personnes, par le téléphone cellulaire, avec l'accès en tous lieux, par le GPS, l'accès au savoir est désormais ouvert. D'une certaine manière, il est toujours et partout déjà transmis.

Objectivé, certes, mais, de plus, distribué. Non concentré. Nous vivions dans un espace métrique, disais-je, référé à des centres, à des concentrations. Une école, une classe, un campus, un amphi, voilà des concentrations de personnes, étudiants et professeurs, de livres en bibliothèques, d'instruments dans les laboratoires... Ce savoir, ces références, ces textes, ces dictionnaires, les voilà distribués partout et, en particulier, chez vous – même les observatoires! –, mieux, en tous les lieux où vous vous déplacez. De là étant, vous pouvez toucher vos collègues, vos élèves, où qu'ils passent; et ils vous répondent aisément.

L'ancien espace des concentrations – celui-là même où je parle et où vous m'écoutez, que faisons-nous ici? – se dilue, se répand; nous vivons, je viens de le dire, dans un espace de voisinages immédiats, mais, de plus, distributif. Je pourrais vous parler de chez moi ou d'ailleurs, et vous m'entendriez ailleurs ou chez vous. Que faisons-nous donc ici ?

Ne dites surtout pas que l'élève manque des fonctions cognitives qui permettent d'assimiler le savoir ainsi distribué, puisque, justement, ces fonctions se transforment avec le support et par lui. Par l'écriture et l'imprimerie, la mémoire, par exemple, muta au point que Montaigne voulut une tête bien faite plutôt qu'une tête bien pleine. Cette tête vient de muter encore une fois.

De même donc que la pédagogie fut inventée par les Grecs (*paideia*), au moment de l'invention et de la propagation de l'écriture, de même qu'elle se transforma quand émergea l'imprimerie, à la Renaissance, de même, la pédagogie change totalement avec les nouvelles technologies, dont les nouveautés ne sont qu'une variable quelconque parmi la dizaine ou la vingtaine que j'ai citées ou pourrais énumérer.

Ce changement si décisif de l'enseignement – changement qui se répercute peu à peu sur l'espace entier de la société mondiale et l'ensemble de ses institutions désuètes, changement qui ne touche pas, et de loin, l'enseignement seulement, mais aussi le travail, les entreprises, la santé, le droit et la politique, bref, l'ensemble de nos institutions –, nous sentons en avoir un besoin urgent, mais nous en sommes encore loin.

Probablement parce que ceux qui traînent dans la transition entre les derniers états n'ont pas encore pris leur retraite alors qu'ils diligentent les réformes, selon des modèles depuis longtemps effacés.

Enseignant pendant un demi-siècle sous à peu près toutes les latitudes du monde, où cette crevasse s'ouvre aussi largement que dans mon propre pays, j'ai subi, j'ai souffert ces réformes-là comme des emplâtres sur des jambes de bois, des rapetassages. Or les emplâtres endommagent le tibia, même artificiel ; les rapetassages déchirent encore plus le tissu qu'ils cherchent à consolider.

Oui, depuis quelques décennies je vois que nous vivons une période comparable à l'aurore de la *paideia*, après que les Grecs apprirent à écrire et démontrer, semblable à la Renaissance qui vit naître l'impression et le règne du livre apparaître. Période incomparable pourtant, puisque, en même temps que ces techniques mutent, le corps se métamorphose, changent la naissance et la mort, la souffrance et la guérison, les métiers, l'espace, l'habitat, l'être-au-monde.

V

Envoi

Face à ces mutations, sans doute convient-il d'inventer d'inimaginables nouveautés, hors les cadres désuets qui formatent encore nos conduites, nos médias, nos projets noyés dans la société du spectacle. Je vois nos institutions luire d'un éclat semblable à celui des constellations dont les astronomes nous apprennent qu'elles sont mortes depuis longtemps déjà.

Pourquoi ces nouveautés ne sont-elles point advenues ? Je crains d'en accuser les philosophes, dont je suis, gens qui ont pour vocation d'anticiper le savoir et les pratiques à venir et qui ont, ce me semble, failli à leur tâche. Engagés dans la politique au jour le jour, ils n'entendirent pas venir le contemporain.

Si j'avais eu, en général, à croquer le portrait des adultes, dont je suis, ce profil eût été moins flatteur.

Je voudrais avoir dix-huit ans, l'âge de Petite Poucette et de Petit Poucet, puisque tout est à refaire, puisque tout reste à inventer.

Je souhaite que la vie me laisse assez de temps pour y travailler encore, en compagnie de ces Petits, auxquels j'ai voué ma vie, parce que je les ai toujours respectueusement aimés.

2. École

La tête de Petite Poucette

Dans sa *Légende dorée*, Jacques de Voragine raconte qu'au siècle des persécutions édictées par l'empereur Domitien advint à Lutèce un miracle. L'armée romaine y arrête Denis, élu évêque par les premiers chrétiens de Paris. Incarcéré, puis torturé dans l'île de la Cité, le voilà condamné à être décapité au sommet d'une butte qui se nommera Montmartre.

Fainéante, la soldatesque renonce à monter si haut et exécute la victime à mi-chemin. La tête de l'évêque roule à terre. Horreur! Décollé, Denis se relève, ramasse sa tête et, la tenant dans ses mains, continue à grimper la pente. Miracle! Terrifiée, la légion fuit. L'auteur ajoute que Denis fit une pause pour laver son chef à une source et qu'il poursuivit sa route jusqu'à l'actuelle Saint-Denis. Le voilà canonisé.

Petite Poucette ouvre son ordinateur. Si elle ne se souvient pas de cette légende, elle considère toutefois, devant elle et dans ses mains, sa tête elle-même, bien pleine en raison de la réserve énorme d'informations, mais aussi bien faite, puisque des moteurs de recherche y activent, à l'envi, textes et images, et que, mieux encore, dix logiciels peuvent y traiter d'innombrables données, plus vite qu'elle ne le pourrait. Elle tient là, hors d'elle, sa cognition jadis interne, comme saint Denis tint son chef hors du cou. Imagine-t-on Petite Poucette décapitée ? Miracle ?

Récemment, nous devînmes tous des saints Denis, comme elle. De notre tête osseuse et neuronale, notre tête intelligente sortit. Entre nos mains, la boîte-ordinateur contient et fait fonctionner, en effet, ce que nous appelions jadis nos « facultés » : une mémoire, plus puissante mille fois que la nôtre ; une imagination garnie d'icônes par millions ; une raison aussi, puisque autant de logiciels peuvent résoudre cent problèmes que nous n'eussions pas résolus seuls. Notre tête est jetée devant nous, en cette boîte cognitive objectivée.

Passé la décollation, que reste-t-il sur nos épaules ? L'intuition novatrice et vivace. Tombé dans la boîte, l'apprentissage nous laisse la joie incandescente d'inventer. Feu : sommes-nous condamnés à devenir intelligents ?

Quand apparut l'imprimerie, Montaigne préféra, je l'ai dit, une tête bien faite à un savoir accumulé, puisque ce cumul, déjà objectivé, gisait dans le livre, sur les étagères de sa librairie ; avant Gutenberg, il fallait savoir par cœur Thucydide et Tacite si l'on pratiquait l'histoire, Aristote et les mécaniciens grecs si l'on s'intéressait à la physique, Démosthène et Quintilien si l'on voulait exceller dans l'art oratoire... donc en avoir plein la tête. Économie : se souvenir de la place du volume sur le rayon de librairie coûte moins cher en mémoire que retenir son contenu. Nouvelle économie, radicale celle-là : nul n'a même plus besoin de retenir la place, un moteur de recherche s'en charge.

Désormais, la tête étêtée de Petite Poucette diffère des vieilles, mieux faites que pleines. N'ayant plus à travailler dur pour apprendre le savoir, puisque le voici, ieté là, devant elle, objectif, collecté, collectif, connecté, accessible à loisir, dix fois déjà revu et contrôlé, elle peut se retourner vers le moignon d'absence qui surplombe son cou coupé. Là passent de l'air, du vent, mieux, cette lumière qu'y peignit Bonnat, le peintre pompier, quand il dessina le miracle de saint Denis sur les parois du Panthéon, à Paris. Là réside le nouveau génie, l'intelligence inventive, une authentique subjectivité cognitive ; l'originalité de la fille se réfugie dans ce vide translucide, sous cette brise jolie. Connaissance au coût quasi nul, difficile pourtant à saisir.

Petite Poucette célèbre-t-elle la fin de l'ère du savoir ?

Le dur et le doux

Comment ce changement humain, décisif, a-t-il pu se produire ? Pratiques, concrets, nous pensons irrésistiblement que les révolutions se font autour des choses dures : nous importent les outils, marteaux et faucilles. Nous donnons même leur nom à quelques ères de l'histoire : révolution industrielle récente, âges du bronze et du fer, pierre polie ou taillée. Plus ou moins aveugles et sourds, nous accordons moins d'attention aux signes, doux, qu'à ces machines tangibles, dures et pratiques.

Toutefois, l'invention de l'écriture et celle, plus tardive, de l'imprimerie bouleversèrent les cultures et les collectifs plus que les outils. Le dur montre son efficacité sur les choses du monde ; le doux montre la sienne sur les institutions des hommes. Les techniques conduisent ou supposent les sciences dures ; les technologies supposent et conduisent les sciences humaines, assemblées publiques, politique et société. Sans l'écriture, nous serions-nous réunis dans des villes, eussions-nous stipulé un droit, fondé un État, conçu le monothéisme et l'histoire, inventé les sciences exactes, institué la *paideia*...? Aurions-nous assuré leur continuité? Sans l'imprimerie, aurions-nous, à la Renaissance, bien nommée, changé l'ensemble de ces institutions et de ces assemblées? Le doux organise et fédère ceux qui utilisent le dur.

Sans toujours nous en douter, nous vivons ensemble, aujourd'hui, comme enfants du livre et petits-fils de l'écriture.

L'espace de la page

Sous forme imprimée, l'écrit se projette aujourd'hui partout dans l'espace, jusqu'à l'envahir et à occulter le paysage. Affiches de publicité, panneaux routiers, rues et avenues fléchées, horaires dans les gares, scores dans les stades, traductions à l'Opéra, rouleaux des prophètes dans les synagogues, évangéliaires dans les églises, bibliothèques sur les campus, tableaux noirs dans les salles de classe, PowerPoint dans les amphis, revues et journaux...: la *page* nous domine et nous conduit. Et l'écran la reproduit.

Cadastre rural, plans des villes ou d'urbanisme, bleu des architectes, projets de constructions, dessins des salles publiques et des chambres intimes... miment, par leurs quadrillages doux et paginés, le *pagus* de nos ancêtres, carrés ensemencés de luzerne ou lopins de terre labourés, sur la dureté desquels le paysan laissait la trace du soc ; le sillon, déjà, écrivait sa ligne sur cet espace découpé. Voilà l'unité spatiale de perception, d'action, de pensée, de projet, voilà le multimillénaire format, presque aussi prégnant à nous autres hommes, au moins les Occidentaux, qu'aux abeilles l'hexagone.

Nouvelles technologies

Ce format-page nous domine tant, et tant à notre insu, que les nouvelles technologies n'en sont pas encore sorties. L'écran de l'ordinateur – qui lui-même s'ouvre comme un livre – le mime, et Petite Poucette écrit encore sur lui, de ses dix doigts ou, sur le portable, des deux pouces. Le travail achevé, elle s'empresse d'imprimer. Les innovateurs de toute farine cherchent le nouveau livre électronique, alors que l'électronique ne s'est pas encore délivrée du livre, bien qu'elle implique tout autre chose que le livre, tout autre chose que le format transhistorique de la page. Cette chose reste à découvrir. Petite Poucette nous y aide.

Je me souviens de l'étonnement qui me prit, voici quelques années, sur le campus de Stanford où j'enseigne depuis trente ans, à voir s'élever, au voisinage de l'ancien Quadrangle et financées par les milliardaires de la Silicon Valley voisine, des tours destinées à l'informatique à peu près identiques, au fer, au béton et aux vitrages près, aux autres bâtiments de brique où l'on dispense, depuis un siècle, l'enseignement de l'ingénierie mécanique ou de l'histoire médiévale. Même disposition au sol, mêmes salles et couloirs : toujours le format inspiré de la page. Comme si la révolution récente, aussi puissante au moins que celles de l'imprimerie et de l'écriture, ne changeait rien au savoir, à la pédagogie, ni à l'espace universitaire lui-même, inventé jadis par et pour le livre.

Non. Les nouvelles technologies obligent à sortir du format spatial impliqué par le livre et la page. Comment ?

Une histoire brève

D'abord : les outils usuels externalisèrent nos forces, dures ; sortis du corps, les muscles, os et articulations appareillèrent vers les machines simples, leviers et palans, qui en mimaient le fonctionnement ; notre température haute, source de notre énergie, émanée de l'organisme, appareilla ensuite vers les machines motrices. Les nouvelles technologies externalisent enfin les messages et opérations qui circulent dans le système neuronal, information et codes, doux ; la cognition, en partie, appareille vers ce nouvel outil.

Que reste-t-il, alors, au-dessus des cous coupés du saint Denis de Paris et des fils et filles, aujourd'hui ?

Petite Poucette médite

Cogito : ma pensée se distingue du savoir, des processus de connaissance – mémoire, imagination, raison déductive, finesse et géométrie... externalisés, avec synapses et neurones, dans l'ordinateur. Mieux : je pense, j'invente si je me distancie ainsi de ce savoir et de cette connaissance, si je m'en écarte. Je me convertis à ce vide, à cet air impalpable, à cette âme, dont le mot traduit ce vent. Je pense encore plus doux que ce doux objectivé ; j'invente si je parviens à ce vide. Ne me reconnaissez plus à ma tête, ni à son dense farci ni à son profil cognitif singulier, mais à son absence immatérielle, à la lumière transparente qui émane du décollement. À ce rien.

Si Montaigne avait expliqué les manières qu'avait une tête de se faire à merveille, il aurait, de ce fait, dessiné une case à remplir et la tête pleine serait revenue. À dessiner, aujourd'hui, cette tête vide, elle chuterait dehors encore dans l'ordinateur. Non, ne pas la couper pour la remplacer par une autre. N'éprouver aucune angoisse face au vide. Allons, du courage... Le savoir et ses formats, la connaissance et ses méthodes, détail infini et synthèses admirables, que mes anciens amassent comme des cuirasses dans les notes en bas de page et dans les bibliographies massives de livres, et qu'ils m'accusent d'oublier, tout cela, sous le coup d'épée des tortionnaires de saint Denis, chute dans la boîte électronique. Étrange, quasi sauvage, l'*ego* se retire de tout cela, même de cela, vole dans le vide, dans sa nullité blanche et candide. L'intelligence inventive se mesure selon la distance au savoir.

Le sujet de la pensée vient de changer. Les neurones activés dans le feu blanc du cou coupé diffèrent de ceux auxquels l'écriture et la lecture se référaient dans la tête des prédécesseurs, qui grésillent dans l'ordinateur.

D'où l'autonomie nouvelle des entendements, à laquelle correspondent des mouvements corporels sans contrainte et un brouhaha de voix.

Voix

Jusqu'à ce matin compris, un enseignant, dans sa classe ou son amphi, délivrait un savoir qui, en partie, gisait déjà dans les livres. Il oralisait de l'écrit, une page-source. S'il invente, chose rare, il écrira demain une page-recueil. Sa chaire faisait entendre ce porte-voix. Pour cette émission orale, il demandait le silence. Il ne l'obtient plus.

Formée dès l'enfance, aux classes élémentaires et préparatoires, la vague de ce que l'on nomme le bavardage, levée en tsunami dans le secondaire, vient d'atteindre le supérieur où les amphis, débordés par lui, se remplissent, pour la première fois de l'histoire, d'un brouhaha permanent qui rend pénible toute écoute ou rend inaudible la vieille voix du livre. Voilà un phénomène assez général pour que l'on y prête attention. Petite Poucette ne lit ni ne désire ouïr l'écrit dit. Celui qu'une ancienne publicité dessinait comme un chien n'entend plus la voix de son maître. Réduits au silence depuis trois millénaires, Petite Poucette, ses sœurs et ses frères produisent en chœur, désormais, un bruit de fond qui assourdit le porte-voix de l'écriture.

Pourquoi bavarde-t-elle, parmi le brouhaha de ses bavards camarades? Parce que, ce savoir annoncé, tout le monde l'a déjà. En entier. À disposition. Sous la main. Accessible par Web, Wikipédia, portable, par n'importe quel portail. Expliqué, documenté, illustré, sans plus d'erreurs que dans les meilleures encyclopédies. Nul n'a plus besoin des porte-voix d'antan, sauf si l'un, original et rare, invente.

Fin de l'ère du savoir.

L'offre et la demande

Ce chaos nouveau, primitif comme tout tohu-bohu, annonce un retournement, d'abord de la pédagogie, ensuite de la politique sous tous aspects. Jadis et naguère, enseigner consistait en une offre. Exclusive, semi-conductrice, celle-ci n'eut jamais le souci d'écouter l'avis ni les choix de la demande. Voici le savoir, stocké dans les pages des livres, ainsi parlait le porte-voix, le montrait, le lisait, le disait; écoutez, lisez ensuite, si vous le voulez. En tout cas, silence.

L'offre disait deux fois : Tais-toi.

Fini. Par sa vague, le bavardage refuse cette offre pour annoncer, pour inventer, pour présenter une nouvelle demande, sans doute d'un autre savoir. Retournement! Nous autres, enseignants parleurs, écoutons à notre tour la rumeur confuse et chaotique de cette demande bavarde, issue des enseignés que, jadis, nul ne consultait pour apprendre d'eux s'ils demandaient vraiment cette offre-là.

Pourquoi Petite Poucette s'intéresse-t-elle de moins en moins à ce que dit le porte-voix ? Parce que, devant l'offre croissante de savoir en nappe immense, partout et toujours accessible, une offre ponctuelle et singulière devient dérisoire. La question se posait cruellement lorsqu'il fallait se déplacer pour découvrir un savoir rare et secret. Désormais accessible, il surabonde, proche, y compris en volumes petits, que Petite Poucette porte dans sa poche, sous le mouchoir. La vague des accès aux savoirs monte aussi haut que celle du bavardage.

L'offre sans demande est morte ce matin. L'offre énorme qui la suit et la remplace reflue devant la demande. Vrai de l'école, je vais dire que cela le devient de la politique. Fin de l'ère des experts ?

Les Petits Transis

Oreilles et museau plongés dans le porte-voix, le chien, assis, fasciné par l'écoute, ne bouge. Sages comme des images depuis l'âge tendre, nous commencions, enfants, une carrière longue de corps sur leur séant, immobiles, en silence et en rangs. Notre nom de jadis, le voici : Petits Transis. Les poches vides, nous obéissions, non seulement soumis aux maîtres, mais surtout au savoir, auquel les maîtres eux-mêmes, humblement, se soumettaient. Eux et nous le considérions comme souverain et magistral. Nul n'aurait osé rédiger un traité de l'obéissance volontaire au savoir. Certains se trouvaient même terrorisés par lui, empêchés ainsi d'apprendre. Pas sots, mais épouvantés. Il faut tenter de saisir ce paradoxe : pour ne pas comprendre le savoir et le refuser, alors qu'il se voulait reçu et compris, il fallait bien qu'il terrifiât.

En hautes majuscules, la philosophie parlait même parfois du Savoir Absolu. Il exigeait donc du dos une inclinaison soumise, comme celle de nos ancêtres, courbés devant le pouvoir absolu des rois de droit divin. Jamais n'exista la démocratie du savoir. Non point que certains, détenant le savoir, détenaient le pouvoir, mais que le savoir lui-même exigeait des corps humiliés, y compris de ceux qui le détenaient. Le plus effacé des corps, le corps enseignant, donnait cours en faisant signe vers cet absolu absent, au total inaccessible. Fascinés, les corps ne bougeaient.

Déjà formaté par la page, l'espace des écoles, des collèges, des campus se reformatait par cette hiérarchie inscrite dans la tenue corporelle. Silence et prostration. La focalisation de tous vers l'estrade où le porte-voix requiert silence et immobilité reproduit dans la pédagogie celle du prétoire vers le juge, du théâtre vers la scène, de la cour royale vers le trône, de l'église vers l'autel, de l'habitation vers le foyer… de la multiplicité vers l'un. Sièges serrés, en travées, pour les corps immobilisés de ces institutions-cavernes. Voilà le tribunal qui condamne saint Denis. Fin de l'ère des acteurs?

La libération des corps

Nouveauté. L'aise de l'accès donne à Petite Poucette, comme à tout le monde, des poches pleines de savoir, sous les mouchoirs. Les corps peuvent sortir de la Caverne où l'attention, le silence et la courbure des dos les ligotaient aux chaises comme par des chaînes. Qu'on les force à s'y remettre, ils ne resteront plus en place sur les sièges. Chahut, dit-on.

Non. L'espace de l'amphi se dessinait jadis comme un champ de forces dont le centre orchestral de gravité se trouvait sur l'estrade, au point focal de la chaire, à la lettre un *power point*. Là se situait la densité lourde du savoir, quasi nulle à la périphérie. Désormais distribué partout, le savoir se répand dans un espace homogène, décentré, libre de mouvements. La salle d'autrefois est morte, même si encore on ne voit qu'elle, même si on ne sait construire qu'elle, même si la société du spectacle cherche à l'imposer encore.

Alors les corps se mobilisent, circulent, gesticulent, appellent, s'interpellent, échangent volontiers ce qu'ils ont trouvé sous leurs mouchoirs. Au silence le bavardage succède-t-il et le chahut à l'immobilité? Non, jadis prisonniers, les Petits Poucets se libèrent des chaînes de la Caverne multimillénaire qui les attachaient, immobiles et silencieux, à leur place, bouche cousue, cul posé.

Mobilité : conducteur et passager

L'espace centré ou focalisé de la classe ou de l'amphi peut aussi se dessiner comme le volume d'un véhicule : train, automobile, avion, où les passagers, assis en rangs dans le wagon, l'habitacle ou le fuselage, se laissent conduire par celui qui les pilote vers le savoir. Voyez maintenant le corps du passager, avachi, ventre en l'air, regard vague et passif. Actif et attentif au contraire, le conducteur courbe le dos et tend les bras vers le volant.

Quand Petite Poucette use de l'ordinateur ou du portable, ils exigent tous deux le corps d'une conductrice en tension d'activité, non celui d'un passager en passivité de détente : demande et non offre. Elle courbe le dos et ne met pas le ventre en haut. Poussez cette petite personne dans une salle de cours : habitué à conduire, son corps ne supportera pas longtemps le siège du passager passif ; elle s'active alors, privée de machine à conduire. Chahut. Mettez entre ses mains un ordinateur, elle retrouvera la gestuelle du corps-pilote.

Il n'y a plus que des conducteurs, que de la motricité ; plus de spectateurs, l'espace du théâtre se remplit d'acteurs, mobiles ; plus de juges au prétoire, rien que des orateurs, actifs ; plus de prêtres au sanctuaire, le temple se remplit de prêcheurs ; plus de maîtres dans l'amphi, partout des professeurs... Et, nous aurons à le dire, plus de puissants dans l'arène politique, désormais occupée par les décidés.

Fin de l'ère du décideur.

La tierce-instruction

Petite Poucette cherche et trouve le savoir dans sa machine. D'accès rarissime, ce savoir ne s'offrait naguère que morcelé, découpé, dépecé. Page après page, des classifications savantes distribuaient à chaque discipline sa part, sa section, ses locaux, ses labos, sa tranche de bibliothèque, ses crédits, ses porte-voix et leur corporatisme. Le savoir se divisait en sectes. Ainsi le réel en éclats volait-il.

Le fleuve, par exemple, disparaissait sous des cuvettes éparpillées de géographie, géologie, géophysique, hydrodynamique, cristallographie des alluvions, biologie des poissons, halieutique, climatologie, sans compter l'agronomie des plaines arrosées, l'histoire des villes mouillées, des rivalités entre riverains, plus les passerelles, barcarolles et *Pont Mirabeau*... En mélangeant, intégrant, fusionnant ces débris, en faisant de ces membres épars le corps vivant du courant, l'accès facile au savoir permettrait d'habiter le fleuve, enfin à plein et à niveau.

Mais comment fusionner les classements, fondre les frontières, réunir ensemble les pages déjà découpées au format, superposer les plans de l'université, unifier les amphis, empiler vingt départements, faire qu'autant d'experts de haut niveau, dont chacun pense détenir la définition exclusive de l'intelligence, s'entendent? Comment transformer l'espace du campus, qui mime celui du camp retranché de l'armée romaine, tous deux quadrillés par des voies normales et distribués en cohortes ou jardins juxtaposés?

Réponses: en écoutant le bruit de fond issu de la demande, du monde et des populations, en suivant les mouvements nouveaux des corps, en essayant d'expliciter l'avenir qu'impliquent les nouvelles technologies. Comment, de nouveau ?

Disparate contre classement

Autrement dit comment, ô paradoxe, dessiner des mouvements browniens ? On peut au moins les favoriser par la sérendipité de Boucicaut.

Fondateur du Bon Marché, il classifia d'abord les marchandises à vendre, selon des étagères et des rayons rangés. Chaque paquet bien tranquille sur son siège, classifié, ordonné, comme des élèves en rangs ou comme des légionnaires romains dans leur camp retranché. Le terme « classe » signifie, à l'origine, cette armée en rang serré. Or comme, pour la première fois, son grand magasin, aussi universel pour le *Bonheur des dames* que l'université pour le plaisir d'apprendre, groupait tout ce dont un chaland pouvait rêver : alimentation, vêtements, cosmétiques, le succès n'attendit pas et Boucicaut fit fortune. Le roman qu'Émile Zola consacre à cet inventeur raconte sa déconvenue, les jours où le chiffre d'affaires, plafonnant, reste longuement constant.

Un matin, saisi d'une intuition subite, il bouleversa ce classement raisonnable, fit des allées de la boutique un labyrinthe et de ses rayons un chaos. Venue acheter des poireaux pour le bouillon et devant, par ce hasard vigoureusement programmé, traverser le département

des soieries et dentelles, la dame grand-mère de Petite
Poucette finit par acheter des parures en plus des
légumes... Les ventes alors crevèrent le plafond.

Le disparate a des vertus que la raison ne connaît
pas. Pratique et rapide, l'ordre peut emprisonner
pourtant ; il favorise le mouvement mais à terme le
gèle. Indispensable à l'action, la *check-list* peut stériliser
la découverte. Au contraire, de l'air pénètre dans le
désordre, comme dans un appareil qui a du jeu. Or le
jeu provoque l'invention. Entre le cou et la tête coupée
apparut le même jeu.

Suivons Petit Poucette dans ses jeux, écoutons de
Boucicaut l'intuition sérendipitine, que tous les magasins
pratiquent depuis, bouleversons le classement des
sciences, plaçons le département de physique à côté de la
philosophie, la linguistique en face des mathématiques,
la chimie avec l'écologie. Taillons même dans le détail,
hachons ces contenus menu, pour que tel chercheur,
devant sa porte, en rencontre un autre, issu d'un ciel
étrange et parlant une autre langue. Il voyagerait loin
sans se déranger. Au *castrum* rationnel de l'armée
romaine, écartelé de perpendiculaires et séparé en
cohortes carrées, succéderait alors une mosaïque aux
pièces diverses, une sorte de kaléidoscope, l'art de la
marqueterie, un pot-pourri.

Le Tiers-Instruit rêvait déjà d'universités à l'espace mêlé, tigré, nué, chiné, bigarré, constellé... réel comme un paysage ! Alors qu'il fallait courir loin pour aller vers l'autre, alors qu'on restait chez soi pour ne pas l'entendre, le voici sans arrêt dans les jambes, sans que l'on ait à bouger.

Ceux dont l'œuvre défie tout classement et qui sèment à tout vent fécondent l'inventivité alors que les méthodes pseudo-rationnelles n'ont jamais servi de rien. Comment redessiner la page ? En oubliant l'ordre des raisons, ordre certes, mais sans raison. Il faut changer de raison. Le seul acte intellectuel authentique, c'est l'invention. Préférons donc le labyrinthe des puces électroniques. Vive Boucicaut et ma grand-mère ! s'écrie Petite Poucette.

Le concept abstrait

Et que penser des concepts, si difficiles parfois à former ? Dis-moi ce qu'il en est de la Beauté. Petite Poucette de répondre : Une belle femme, une belle cavale, une belle aurore... Arrête, voyons ; je te demande un concept, tu me cites mille exemples, tu n'en finiras jamais avec tes filles et tes pouliches !

Dès lors, l'idée abstraite revient à une économie grandiose de pensée : la Beauté tient dans la main mille et une belles, comme le cercle du géomètre comprend des myriades infinies de ronds. Nous n'aurions jamais pu écrire ni lire pages ni livres si nous eussions dû citer ces belles et ces ronds, en nombre énorme, sans terme. Mieux, je ne peux délimiter la page sans en appeler à cette idée qui bouche les fuites de cette énumération indéfinie. L'abstraction fait le bouchon.

En avons-nous encore besoin ? Nos machines défilent si vite qu'elles peuvent compter indéfiniment le particulier, qu'elles savent s'arrêter à l'originalité. Si l'image de la lumière peut nous servir encore pour illustrer, si j'ose dire, la connaissance, nos ancêtres en avaient choisi la clarté, tandis que nous optons plutôt pour sa vitesse. Le moteur de recherche peut, parfois, remplacer l'abstraction.

Comme plus haut le sujet, l'objet de la cognition vient de changer. Nous n'avons pas un besoin obligatoire de concept. Parfois, pas toujours. Nous pouvons nous attarder aussi longtemps que nécessaire devant les récits, les exemples et les singularités, les choses elles-mêmes. Pratique et théorique, cette nouveauté redonne dignité aux savoirs de la description et de l'individuel. Du coup, le savoir offre sa dignité aux modalités du possible, du contingent, des singularités. Encore une fois, certaine hiérarchie s'effondre. Devenu expert en chaos, le mathématicien lui-même ne peut mépriser désormais les SVT qui, déjà, pratiquent le mélange à la Boucicaut, qui, déjà, doivent enseigner de façon intégrée, parce que, si l'on découpe la réalité vivante de manière analytique, elle meurt. Encore une fois, l'ordre des raisons, encore utile, certes, mais parfois obsolète, laisse place à une nouvelle raison, accueillante au concret singulier, naturellement labyrinthique… au récit.

L'architecte bouleverse les partitions du campus.

Espace de circulation, oralité diffuse, mouvements libres, fin des classes classifiées, distributions disparates, sérendipité de l'invention, vitesse de la lumière, nouveauté des sujets aussi bien que des objets, recherche d'une autre raison… : la diffusion du savoir ne peut plus avoir lieu dans aucun des campus du monde, eux-mêmes ordonnés, formatés page à page, rationnels à l'ancienne, imitant les camps de l'armée romaine. Voilà l'espace de pensée où habite, corps et âme, depuis ce matin, la jeunesse de Petite Poucette.

Saint Denis pacifie la légion.

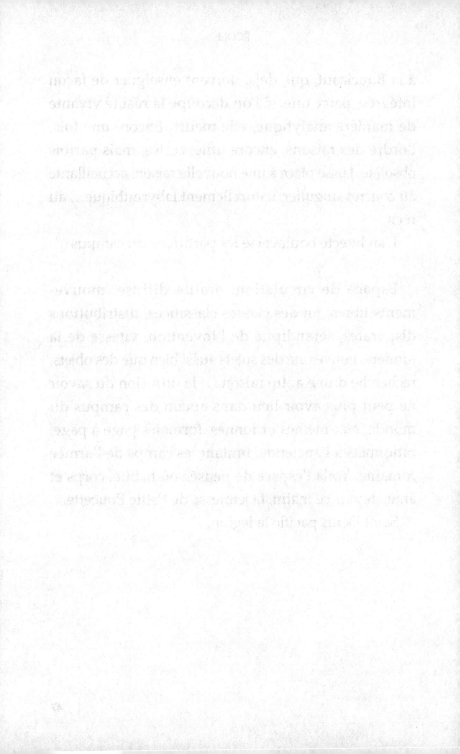

3. Société

Éloge des notes réciproques

Petite Poucette notera-t-elle ses enseignants ? Sotte, cette querelle fit naguère rage en France. De loin, je m'étonnai : voilà quarante ans que les étudiants me notent dans d'autres universités. Je ne m'en porte pas mal. Pourquoi ? Parce que, même sans loi, ceux qui assistent à un cours évaluent toujours le professeur. Il y avait beaucoup de monde dans l'amphi ; plus que trois ou quatre étudiants ce matin : sanction par le nombre. Ou par l'attention : écoute ou chahut. Cause de soi, l'éloquence prend sa source dans le silence de l'auditoire, lui-même né de l'éloquence.

Mieux, toujours tout le monde supporte une note : l'amoureux, de son amante silencieuse ; le fournisseur, aux grands cris de ses clients ; les médias, de l'Audimat ; le médecin, par l'afflux de ses patients ; l'élu, par la sanction des votants. Cela pose simplement la question du gouvernement.

La fièvre de notation qui, sous la poussée de mamans pitoyables et de la psychologie, quitta si vite l'école, envahit la société civile qui publie à l'envi les listes des meilleures ventes, distribue des prix Nobel, des Oscars, des coupes de faux métal, classe les universités, note banques et entreprises, même les États, autrefois souverains. En tournant la page, lecteur, vous m'évaluez en ce moment.

Une sorte de démon à double face pousse à juger ceci ou cela bon ou mauvais, innocent ou nocif. La lucidité discerne plutôt ce qui meurt de l'ancien monde et ce qui émerge du nouveau. Naît ce jour un renversement qui favorise une circulation symétrique entre les notants et les notés, les puissants et les sujets, une réciprocité. Tout le monde semblait croire, en effet, que tout coule du haut vers le bas, de la chaire vers les bancs, des élus vers les électeurs; qu'en amont l'offre se présente et que la demande, en aval, avalera tout. Qu'il y a des grandes surfaces, de grandes bibliothèques, des grands patrons, ministres, hommes d'État… qui, présumant leur incompétence, répandent leur pluie bienfaisante sur les petites tailles Peut-être cette ère a-t-elle eu lieu; elle se termine sous nos yeux, au travail, à l'hôpital, en route, en groupe, sur la place publique, partout.

Libérée des semi-conducteurs, je veux dire des relations ainsi asymétriques, la nouvelle circulation fait entendre les notes, quasi musicales, de sa voix.

Éloge de H. Potter

Petit gars de Birmingham, Humphrey Potter relia, dit-on, avec la ficelle de sa toupie, le bras de la machine à vapeur aux soupapes qu'il devait, de la main, actionner ; fuyant un travail ennuyeux pour aller jouer, il inventa, en supprimant son esclavage, une sorte de feed-back. Vrai ou controuvé, ce conte loue la précocité d'un génie ; à mes yeux, il montre plutôt la compétence fréquente, fine et adaptée, de l'ouvrier, même mineur, aux lieux mêmes où les décideurs, lointains, commandent d'agir sans rien demander aux acteurs, préjugés incompétents. H. Potter est l'un des noms de guerre de Petite Poucette.

Le mot employé exprime cette présomption d'incompétence : il s'agit, en effet, de le plier à loisir pour l'exploiter ; comme le malade se réduit à un organe à réparer, l'étudiant à une oreille à remplir ou une bouche silencieuse à gaver, l'ouvrier se ramène à une machine à gérer, un peu plus compliquée que celle à laquelle il travaille. En haut, jadis, des bouches essorillées ; en bas, des ouïes muettes.

Éloge du contrôle réciproque. En restituant des visages complets aux deux niveaux, les meilleures entreprises placent l'ouvrier au centre de la décision pratique. Loin d'organiser, de manière pyramidale, la logistique sur les flux et la régulation de la complexité, ce qui multiplie celle-ci par couches de régulation, elles laissent Petite Poucette contrôler en temps réel sa propre activité – pannes plus aisément repérées ou réparées, solutions techniques plus rapidement trouvées, productivité améliorée –, mais examiner aussi ses mandataires, patrons ici, mais plus loin, médecins et politiques.

Tombeau du travail

Petite Poucette cherche du travail. Et quand elle en trouve, elle en cherche toujours, tant elle sait qu'elle peut, du jour au lendemain, perdre celui qu'elle vient de dénicher. De plus, au travail, elle répond à celui qui lui parle, non selon la question posée, mais de manière à ne pas perdre son emploi. Désormais courant, ce mensonge nuit à tous.

Petite Poucette s'ennuie au travail. Son voisin menuisier recevait autrefois des planches brutes de la scierie, sise parmi la forêt ; après les avoir laissées longtemps sécher, il tirait de ce trésor et selon les commandes tabourets, tables ou portes. Trente ans plus tard, il reçoit d'une usine des fenêtres toutes prêtes qu'il pose dans de grands ensembles aux ouvertures formatées. Il s'ennuie. Elle aussi. L'intérêt de l'œuvre se capitalise aux bureaux d'études, là-haut. Le capital ne signifie pas seulement la concentration de l'argent, mais aussi de l'eau dans les barrages, du minerai sous terre, de l'intelligence dans une banque d'ingénierie éloignée de ceux qui exécutent. L'ennui de tous vient de cette concentration, de cette captation, de ce vol de l'intérêt.

La productivité, augmentant verticalement depuis 1970, la croissance démographique mondiale, aussi verticale et s'ajoutant à la première, raréfient de plus en plus le travail ; une aristocratie en bénéficiera-t-elle seule, bientôt ? Né à la révolution industrielle et copié sur l'office divin des monastères, meurt-il, aujourd'hui, peu à peu ? Petite Poucette a vu diminuer le nombre des cols bleus ; les nouvelles technologies feront fondre celui des cols blancs. Le travail ne disparaîtra-t-il pas aussi de ce que ses produits, faisant inondation sur les marchés, nuisent souvent à l'environnement, souillé par l'action des machines, par la fabrication et le transport des marchandises ? Il dépend de sources d'énergie dont l'exploitation ruine les réserves et pollue.

Petite Poucette rêve d'une œuvre nouvelle dont la finalité serait de réparer ces méfaits et d'être bénéfique – elle ne parle pas du salaire, elle aurait dit bénéficiaire, mais du bonheur aussi – à ceux qui œuvrent. Elle fait, en somme, la liste des actions qui ne produiraient pas ces deux pollutions, sur la planète et les humains. Méprisés parce que rêveurs, les utopistes français du XIXᵉ siècle organisaient les pratiques selon des directions contraires à celles qui les ont précipitées vers cette double impasse.

Comme il n'y a plus que des individus, que la société ne s'organise qu'autour du travail, que tout tourne autour de lui, même les rencontres, même les aventures privées qui n'ont rien à voir avec lui, Petite Poucette espérait s'y épanouir. Or elle n'en trouve guère, or elle s'y ennuie. Elle cherche à imaginer aussi une société qui ne soit plus vraiment structurée par lui. Mais par quoi?

Et combien de fois lui demande-t-on son avis?

Éloge de l'hôpital

Elle se souvient, aussi, d'une visite subie dans un grand hôpital. Entré dans sa chambre sans frapper, suivi, comme un mâle dominant, de femelles soumises – le modèle bestial s'imposait –, le patron gratifia son troupeau d'un discours de haute volée en tournant le dos à Petite Poucette, couchée, qui vécut la présomption d'incompétence. Comme à la fac; comme au boulot. En parler plus populaire, cela se dit: être prise pour une imbécile.

Boiteux, l'imbécile, en langue latine, manque, pour se tenir, d'un bâton, ce *bacillus* d'où viennent nos bacilles. Levée, guérie, Petite Poucette annonce une nouvelle à la manière de l'énigme d'Œdipe: plus avance le temps, moins l'hominien a besoin de ce bâton. Il se tient debout tout seul.

Écoutez. Les hôpitaux publics des grandes villes disposent de parkings pour fauteuils ou lits roulants : aux urgences ; avant et après l'IRM ou autre scanner ; avant la salle d'opération, pour anesthésie, ou après, pour le réveil... On peut y attendre de une à dix heures. Savants, riches ou puissants du monde, n'évitez pas ces lieux où l'on entend souffrance, pitié, colère, angoisse, cris et larmes, prière parfois, exaspération, supplication de celui qui appelle celle qui n'appelle pas ou déplore celle qui ne répond pas, silence tendu des uns, effarement des autres, résignation de la plupart, reconnaissance aussi... Qui n'a jamais eu à mêler sa voix à ce concert dissonant sait sans doute qu'il souffre, mais ignorera toujours ce que signifie « Nous souffrons », la commune lallation émanée de l'antichambre de la mort et des soins, purgatoire intermédiaire où chacun redoute et espère une décision du destin. Si vous vous posez la question : Qu'est-ce que l'homme ?, vous donnez, vous entendez, vous apprenez ici la réponse, à travers ce brouhaha. Avant cette ouïe, même un philosophe reste un étourdi.

Voilà le bruit de fond, la voix humaine que recouvrent nos discours et bavardages.

Éloge des voix humaines

Ce chaos ne bruit pas seulement dans les écoles ou les hôpitaux, il n'émane pas seulement des Petits Poucets en classe ou des sanglots en attente patiente, mais remplit maintenant tout l'espace. Les professeurs eux-mêmes bavardent quand le proviseur leur parle ; les internes discutent quand pérore le patron ; les gendarmes parlent quand le général commande ; assemblés sur la place du marché, les citoyens chahutent lorsque le maire, député ou ministre, fait tomber sur les têtes sa langue de bois. Citez, dit Petite Poucette, ironique, une seule assemblée d'adultes d'où n'émane pas, divertissant, un semblable brouhaha.

Saturés de musaque, le tintamarre des médias et le vacarme commercial assourdissent et endorment, de bruit navrant et de drogues calculées, ces voix réelles, plus les virtuelles des blogs et des réseaux sociaux, dont le chiffre, innombrable, atteint des totaux comparables à la population de la planète. Pour la première fois de l'histoire, on peut entendre la voix de tous. La parole humaine bruit dans l'espace et par le temps. Au calme des villages du silence, où sonnaient, rarement, la sirène et la cloche, droit et religion, fille et fils de l'écriture, succède, brusquement, l'étendue de ces réseaux. Phénomène assez général pour que l'on y prête attention, ce nouveau bruit de fond, tohu-bohu de clameurs et de voix, privées, publiques, permanentes, réelles ou virtuelles, chaos recouvert par les moteurs et les tuners d'une société du spectacle irréductiblement vieillie, reproduit en grand le petit tsunami des classes et amphis ; non, celui-ci est plutôt le modèle réduit du premier.

Ces bavardages poucets, ce tohu-bohu de monde annoncent-ils une ère où se mêleront un second âge oral et de tels écrits virtuels ? Cette nouveauté va-t-elle noyer de ses ondes l'âge de la page qui nous formata ? Depuis longtemps j'entends ce nouvel âge oral émané du virtuel.

Voilà une demande générale de parole analogue à la demande singulière que les Petits Poucets font entendre depuis les écoles jusqu'aux universités, à l'attente des malades dans les hôpitaux ou des employés au travail. Tout le monde veut parler, tout le monde communique avec tout le monde en réseaux innombrables. Ce tissu de voix s'accorde à celui de la Toile ; les deux bruissent en phase. À la nouvelle démocratie du savoir, déjà là dans les lieux où s'épuise la vieille pédagogie et où la nouvelle se cherche, avec autant de loyauté que de difficultés, correspond, pour la politique générale, une démocratie en formation qui, demain, s'imposera. Concentrée dans les médias, l'offre politique meurt ; bien qu'elle ne sache ni ne puisse encore s'exprimer, la demande politique, énorme, se lève et presse. La voix notait son vote sur un bulletin écrit, étroit et découpé, local et secret ; de sa nappe bruyante, elle occupe aujourd'hui la totalité de l'espace. La voix vote en permanence.

Éloge des réseaux

Sur ce point précis, Petite Poucette apostrophe ses pères : Me reprochez-vous mon égoïsme, mais qui me le montra ? Mon individualisme, mais qui me l'enseigna ? Vous-même, avez-vous su faire équipe ? Incapables de vivre en couple, vous divorcez. Savez-vous faire naître et durer un parti politique ? Voyez dans quel état ils s'affadissent... Constituer un gouvernement où chacun reste solidaire longtemps ? Jouer à un sport collectif, puisque, pour jouir du spectacle, vous en recrutez les acteurs dans des pays lointains où l'on sait encore agir et vivre en groupe ? Agonisent les vieilles appartenances : fraternités d'armes, paroisses, patries, syndicats, familles en recomposition ; restent les groupes de pression, obstacles honteux à la démocratie.

Vous vous moquez de nos réseaux sociaux et de notre emploi nouveau du mot « ami ». Avez-vous jamais réussi à rassembler des groupes si considérables que leur nombre approche celui des humains ? N'y a-t-il pas de la prudence à se rapprocher des autres de manière virtuelle pour moins les blesser d'abord ? Vous redoutez sans doute qu'à partir de ces tentatives apparaissent de nouvelles formes politiques qui balaient les précédentes, obsolètes.

Obsolètes, en effet, et tout aussi virtuelles que les miennes, reprend Petite Poucette, soudain animée :

armée, nation, église, peuple, classe, prolétariat, famille,
marché… voilà des abstractions, volant au-dessus des
têtes comme des fétiches de carton. Incarnées, dites-
vous? Certes, répond-elle, sauf que cette chair humaine,
loin de vivre, devait souffrir et mourir. Sanguinaires, ces
appartenances exigeaient que chacun fît sacrifice de sa
vie : martyrs suppliciés, femmes lapidées, hérétiques
brûlés vifs, prétendues sorcières immolées sur des
bûchers, voilà pour les églises et le droit ; soldats inconnus
alignés par milliers dans les cimetières militaires, sur
lesquels parfois se penchent, avec componction, quelques
dignitaires, listes longues de noms sur les monuments
aux morts – en 14-18 presque toute la paysannerie –, voilà
pour la Patrie ; camps d'extermination et goulags, voilà
pour la théorie folle des «races» et la lutte des classes ;
quant à la famille, elle abrite la moitié des crimes, une
femme mourant chaque jour des sévices du mari ou de
l'amant ; et voici pour le marché : plus d'un tiers des
humains souffrent de la faim – un Petit Poucet en meurt
toutes les minutes – pendant que les nantis font régime.
Même vos assistances ne croissent, dans votre société du
spectacle, qu'avec le nombre des cadavres exhibés, vos
récits avec les crimes relatés, puisque, pour vous, une
bonne nouvelle ne constitue pas une nouvelle. Depuis
quelque cent ans, nous comptons ces morts de toutes
sortes par centaines de millions.

À ces appartenances nommées par des virtualités abstraites, dont les livres d'histoire chantent la gloire sanglante, à ces faux dieux mangeurs de victimes infinies, je préfère notre virtuel immanent, qui, comme l'Europe, ne demande la mort de personne. Nous ne voulons plus coaguler nos assemblées avec du sang. Le virtuel, au moins, évite ce charnel-là. Ne plus construire un collectif sur le massacre d'un autre et le sien propre, voilà notre avenir de vie face à votre histoire et vos politiques de mort.

Ainsi parlait Petite Poucette, vive.

Éloge des gares, des aéroports

Écoutez aussi, dit-elle, comment bruissent les foules douces qui passent. Selon le gibier, les fruits, les variations du climat, *Homo sapiens* ne cessa de se déplacer, devenu *Homo viator* depuis longtemps, jusqu'à la date, assez récente, où la planète ne lui offrit plus de terres inconnues. Depuis la mise au point de dix sortes de moteurs, les voyages se multiplièrent au point que la perception de l'habitat se transforma. Un pays comme la France devint vite une ville que le TGV parcourt comme un métro, que les autoroutes traversent comme des rues. Dès 2006, les compagnies aériennes avaient transporté un tiers de l'humanité. Par les aéroports et les gares passent de telles masses qu'ils ressemblent à de transitoires motels.

À calculer le temps de ses déplacements à partir de chez elle, Petite Poucette sait-elle dans quelle ville elle habite et travaille, à quelle communauté elle appartient ? Elle vit dans une banlieue de capitale, à une distance du centre et de l'aéroport en temps équivalente à dix transports au-delà des frontières ; elle réside donc dans une conurbation qui s'étend hors sa ville et sa nation. Question : où habite-t-elle ? Réduit et expansé à la fois, ce lieu lui pose une question politique, puisque le mot politique se réfère à la cité. De laquelle peut-elle se dire citoyenne ? Autre appartenance fluctuante ! Qui, venu d'où, la représentera, elle qui se pose des questions sur le lieu de son habitation ?

Où ? À l'école, à l'hôpital en compagnie de gens de toutes provenances ; au travail, en route avec des étrangers ; en réunion avec des traducteurs ; passant dans sa rue où s'entendent plusieurs langues, elle côtoie sans cesse plusieurs métissages humains qui reproduisent à merveille les mélanges de cultures et de savoirs rencontrés lors de sa formation. Car les renversements décrits touchent aussi la densité démographique des pays du monde, où l'Occident se rétracte devant la marée montante d'Afrique et d'Asie. Les mélanges humains coulent comme des fleuves à qui on donne des noms propres, mais dont les eaux mêlent celles de tributaires par dizaines. Petite Poucette habite une tapisserie composite, pave son espace d'une marqueterie disparate. Sa vue s'émerveille de ce kaléidoscope, ses oreilles tintent d'un chaos confus de voix et de sens qui annonce d'autres renversements.

Renversement de la présomption d'incompétence

Utilisant la vieille présomption d'incompétence, de grandes machines publiques ou privées, bureaucratie, médias, publicité, technocratie, entreprises, politique, universités, administrations, science même quelquefois..., imposent leur puissance géante en s'adressant à des imbéciles supposés, nommés grand public, méprisés par les chaînes à spectacle. En compagnie de semblables qu'ils supposent compétents, et, de plus, pas si sûrs d'eux-mêmes, les Petits Poucets, anonymes, annoncent, de leur voix diffuse, que ces dinosaures, qui prennent d'autant plus de volume qu'ils sont en voie d'extinction, ignorent l'émergence de nouvelles compétences. Que voici.

Si elle a consulté au préalable un bon site sur la Toile, Petite Poucette, nom de code pour l'étudiante, le patient, l'ouvrier, l'employée, l'administré, le voyageur, l'électrice, le senior ou l'ado, que dis-je, l'enfant, le consommateur, bref, l'anonyme de la place publique, celui que l'on nommait citoyenne ou citoyen, peut en savoir autant ou plus, sur le sujet traité, la décision à prendre, l'information annoncée, le soin de soi... qu'un maître, un directeur, un journaliste, un responsable, un grand patron, un élu, un président même, tous emportés au pinacle du spectacle et préoccupés de gloire. Combien d'oncologues avouent avoir plus appris sur les blogs des femmes atteintes d'un cancer du sein que dans leurs années de faculté ? Les spécialistes d'histoire naturelle ne peuvent plus ignorer ce que disent, en ligne, les fermiers australiens sur les mœurs des scorpions ou les guides des parcs pyrénéens sur le déplacement des isards. Le partage symétrise l'enseignement, les soins, le travail ; l'écoute accompagne le discours ; le retournement du vieil iceberg favorise une circulation à double entente. Le collectif, dont le caractère virtuel se cachait, peureux, sous la mort monumentale, laisse la place au *connectif*, virtuel vraiment.

En fin d'études, à quelque vingt ans, je devins épistémologue, gros mot pour dire que j'étudiais les méthodes et les résultats de la science, en essayant parfois d'en juger. Nous étions peu, à l'époque, à travers le monde, nous correspondions. Un demi-siècle plus tard, n'importe quel Petit Poucet de la rue tranche sur le nucléaire, les mères porteuses, les OGM, la chimie, l'écologie. Alors que je ne prétends plus à cette discipline, tout le monde aujourd'hui devient épistémologue. Il y a *présomption de compétence.* Ne riez pas, dit Petite Poucette : quand ladite démocratie donna le droit de vote à tous, elle dut le faire contre ceux qui criaient au scandale qu'on le donnât, de manière équivalente, aux sages et aux fous, aux ignorants et aux instruits. Le même argument revient.

Les grandes institutions que je viens de citer, dont le volume occupe encore tout le décor et le rideau de ce que nous appelons encore notre société, alors qu'elle se réduit à une scène qui perd tous les jours quelque plausible densité, en ne prenant même plus la peine de renouveler le spectacle et en écrasant de médiocrité un peuple finaud, ces grandes institutions, j'aime le redire, ressemblent aux étoiles dont nous recevons la lumière, mais dont l'astrophysique calcule qu'elles moururent voici longtemps. Pour la première fois sans doute de l'histoire, le public, les individus, les personnes, le passant appelé naguère vulgaire, bref Petite Poucette, pourront et peuvent détenir au moins autant de sagesse, de science, d'information, de capacité de décision que les dinosaures en question, dont nous servons encore, en esclaves soumis, la voracité en énergie et l'avarice en production. Comme prend la mayonnaise, ces monades solitaires s'organisent, lentement, une à une, pour former un nouveau corps, sans aucun rapport avec ces institutions solennelles et perdues. Quand cette lente constitution se retournera soudain, comme l'iceberg de tantôt, nous dirons n'avoir pas vu l'événement se préparer.

Ledit renversement touche aussi bien les sexes, puisque ces dernières décennies virent la victoire des femmes, plus travailleuses et sérieuses à l'école, à l'hôpital, dans l'entreprise... que les mâles dominants, arrogants et faiblards. Voilà pourquoi ce livre titre: *Petite Poucette*. Il touche aussi les cultures, puisque la Toile favorise la multiplicité des expressions et, bientôt, la traduction automatique, alors que nous sortons à peine d'une ère où la domination géante d'une seule langue avait unifié dires et pensées dans la médiocrité, en stérilisant l'innovation. En somme, il touche toutes les concentrations, même productrices et industrielles, même langagières, même culturelles, pour bénéficier à des distributions larges, multiples et singulières.

Voici la notation enfin généralisée; voici le vote généralisé pour une démocratie généralisée. Toutes conditions réunies pour un printemps occidental... sauf que les pouvoirs qui s'y opposent n'utilisent plus ici la force mais la drogue. Exemple tiré du quotidien: les choses elles-mêmes perdent leur nom commun pour laisser place aux noms propres des marques. Il en va de même de toute information, y compris politique, mise en scène en des arènes illuminées où paraissent combattre des ombres sans aucun rapport à la réalité. La société du spectacle transforme donc la lutte, dure jadis et ailleurs par barricades et cadavres, en une désintoxication héroïque qui nous purgerait des somnifères distribués par tant de dispensateurs d'hébétude...

Éloge de la marqueterie

...qui, pour conserver le vieil état des choses, usent de l'argument portant sur la simplicité ; comment gérer la complexité tantôt annoncée par voix et tohu-bohu, disparate et composite, désordre ? Voici. Prise dans un filet, une dorade tente de s'en dégager, mais s'y lie d'autant qu'elle frétille pour se libérer ; vibrionnantes, les mouches s'emprisonnent dans les toiles d'araignée ; les montagnards qui se croisent dans une paroi, face au danger, entremêlent d'autant plus leurs cordes qu'ils se hâtent de s'en dégager. Les administrateurs rédigent parfois des directives pour réduire la complexité administrative, et, imitant les alpinistes, ainsi la multiplient. Se réduit-elle à un état de choses tel que toute tentative pour la simplifier la complique ?

Comment l'analyser ? Par la croissance du nombre d'éléments, leur différenciation individuelle, la multiplication des relations entre eux et des intersections entre ces voies. La théorie des graphes et l'informatique traitent de ces figures en réseau croisé que la topologie appelle un simplexe. En histoire des sciences, cette complexité apparaît comme un signe que l'on n'utilise pas la bonne méthode et qu'il faut changer de paradigme.

Des multiplicités connexes de cet ordre caractérisent nos sociétés, où l'individualisme, les exigences des personnes ou des groupes et la mobilité des sites croissent ensemble. Tout le monde, aujourd'hui, tisse ses propres simplexes et se déplace sur d'autres. Tout à l'heure, Petite Poucette se déplaçait dans un espace mêlé, tigré…, dans un labyrinthe, devant une mosaïque aux couleurs de kaléidoscope. Comme la liberté se réfère à chacun et exige qu'il jouisse de mains libres et de coudées franches, nul ne voit pourquoi simplifier cette exigence de la démocratie. Les sociétés simples nous ramènent, en effet, à la hiérarchie animale, sous la loi du plus fort : faisceau pyramidal à la cime unique et à la base large.

Que la complexité prolifère, à la bonne heure ! Mais elle a un coût : multiplication et longueur des files d'attente, lourdeurs administratives, encombrements dans les rues, difficulté d'interpréter des lois sophistiquées, dont la densité fait, en effet, décroître la liberté. On paie toujours dans la monnaie où l'on gagne.

Ce coût passe, d'autre part, pour l'une des sources du pouvoir. D'où vient que les citoyens soupçonnent leurs représentants de ne pas vouloir réduire ladite complication en accumulant les directives pour paraître désirer la réduire, mais en la multipliant, comme les dorades au filet.

Éloge du troisième support

Or, je le répète, l'histoire des sciences connaît le décrochement qui s'ensuit de ce type de croissance. Lorsque l'ancien modèle de Ptolémée eut accumulé des dizaines d'épicycles qui rendaient illisible et compliqué le mouvement des astres, il fallut changer de figure : on déplaça vers le Soleil le centre du système et tout redevint limpide. Sans doute, le code écrit d'Hammourabi mit fin à des difficultés sociojuridiques tenant au droit oral. Nos complexités viennent d'une crise de l'écrit. Les lois se multiplient, enfle le *Journal officiel*. La page se trouve à bout de course. Il faut changer. L'informatique permet ce relais. L'on attend et se bouscule dans des files devant les guichets ; parmi des bouchons interminables, l'on peut même tuer son père à un carrefour, sans savoir, pour une querelle de priorité. Or, la vitesse électronique évite les lenteurs du transport réel et la transparence du virtuel annule les chocs aux intersections, donc les violences qu'elles impliquent.

Que la complexité ne disparaisse pas ! Elle croît et croîtra parce que chacun profite du confort et de la liberté qu'elle procure; elle caractérise la démocratie. Pour en réduire le coût, il suffit de le vouloir. Quelques ingénieurs peuvent résoudre ce problème en passant au paradigme informatique, dont la capacité conserve et même laisse croître le simplexe, mais le parcourt vite, supprime donc, je le répète, files ou bouchons et gomme les chocs. La mise au point d'un logiciel idoine pour un passeport virtuel et valable pour toutes les données personnelles et publiables peut demander quelques mois, pas plus. Il faudra bien un jour placer sur un nouvel et unique support l'ensemble de ces données. Pour le moment, il se partage en diverses cartes dont l'individu partage la propriété avec plusieurs institutions, privées ou publiques. Petite Poucette – individu, client, citoyen – laissera-t-elle indéfiniment l'État, les banques, les grands magasins… s'approprier ses données propres, d'autant qu'elles deviennent aujourd'hui une source de richesse? Voilà un problème politique, moral et juridique dont les solutions transforment notre horizon historique et culturel. Il peut en résulter un regroupement des partages socio-politiques par l'avènement d'un cinquième pouvoir, celui des données, indépendant des quatre autres, législatif, exécutif, judiciaire et médiatique.

Quel nom Petite Poucette imprimera-t-elle sur son passeport?

Éloge du nom de guerre

Le nom de mon héroïne n'indique pas «quelqu'un de sa génération», «quelque adolescente d'aujourd'hui», expressions de mépris. Non. Il ne s'agit pas là de tirer un élément x d'un ensemble A, comme on dit en théorie. Unique, Petite Poucette existe comme individu, comme une personne, non pas comme une abstraction. Cela vaut explication.

Qui se souvient de l'ancien partage, en France et ailleurs, entre quatre facultés : lettres, sciences, droit et médecine-pharmacie ? Les premières chantaient l'*ego*, le je personnel, l'humain de Montaigne, ainsi que le nous des historiens, linguistes et sociologues. Décrivant, expliquant, calculant le *cela*, les facultés de sciences énonçaient des lois générales, voire universelles, Newton pour l'équation des astres, Lavoisier au baptême des corps. Mis tous deux en tiers, la médecine et le droit accédaient ensemble, peut-être sans le comprendre, à une manière de connaître qu'ignoraient les sciences et les lettres. Unissant le général et le particulier, naquit, dans ces facultés juridiques et médicales, un tiers sujet... l'un des ancêtres de Petite Poucette.

Son corps, d'abord. Jusqu'à récemment, une planche d'anatomie montrait un schéma : de la hanche, de l'aorte, de l'urètre..., dessin abstrait, quasi géométrique, général. Désormais, elle reproduit une IRM de la hanche de tel vieillard de quatre-vingts ans, l'aorte de cette jeune fille de seize ans... Bien qu'individuelles, ces images ont une portée générique et qualitative. Casuistes, étudiant un cas, les jurisconsultes romains, de même, avaient coutume de désigner un sujet cité dans une cause traitée sous le nom de Gaius, ou Cassius : *noms de code, noms de guerre ou de plume, pseudonymes, uniques* en deux personnes : *individuels* et *génériques*. Ces noms pontent en effet général et particulier ; doubles si l'on veut, ils valent pour l'un et l'autre.

Entendez par Petite Poucette un nom de code pour *tel* étudiant, ce patient, cet ouvrier, ce paysan, cet électeur, ce passant, ce citoyen... *anonyme, certes, mais individué*. Moins un électeur comptant pour un dans les sondages, moins un téléspectateur comptant pour un dans l'Audimat, moins une quantité qu'une qualité, une existence. Comme jadis le soldat inconnu, dont le corps ci-gît vraiment, et que l'analyse de son ADN individuerait, cet anonyme-là est le héros de notre temps.

Petit Poucet code cet anonymat.

Algorithmique, procédural

Observez maintenant Petite Poucette manipuler un téléphone portable et maîtriser des pouces boutons, jeux ou moteurs de recherche : elle déploie sans hésitation un champ cognitif qu'une part de la culture antérieure, celle des sciences et des lettres, a longtemps laissé en jachère, que l'on peut nommer «procédural». Ces manipulations, cette gestuelle, ne nous servaient jadis, à l'école élémentaire, qu'à poser de manière correcte les opérations simples de l'arithmétique, et peut-être aussi, parfois, agencer des artifices rhétoriques ou grammaticaux. En passe de concurrencer l'abstrait de la géométrie aussi bien que le descriptif des sciences sans mathématiques, ces procédures pénètrent aujourd'hui le savoir et les techniques. Elles forment la pensée *algorithmique*. Celle-ci commence à comprendre l'ordre des choses et à servir nos pratiques. Elle faisait partie jadis, au moins à l'aveuglette, de l'exercice juridique et de l'art médical. Tous deux s'enseignaient dans les facultés séparées des sciences et des lettres, parce que, justement, ils utilisaient des recettes, des enchaînements de gestes, des séries de formalités, des manières de procéder, oui, des procédures.

Désormais, l'atterrissage d'aéronefs sur des pistes fréquentées ; les liaisons aériennes, ferroviaires, routières, maritimes, en un continent donné ; une longue opération chirurgicale du rein ou du cœur ; la fusion de deux sociétés industrielles ; la solution d'un problème abstrait parmi ceux qui demandent une démonstration développée sur des centaines de pages ; le dessin d'un puce, la programmation ; l'utilisation du GPS… exigent des conduites différentes de la déduction du géomètre ou de l'induction expérimentale. L'objectif, le collectif, le technologique, l'organisationnel… se soumettent plus, aujourd'hui, à ce *cognitif algorithmique ou procédural* qu'aux abstractions *déclaratives* que, nourrie aux sciences et aux lettres, la philosophie consacre depuis plus de deux millénaires. Que, simplement analytique, celle-ci ne voie pas aujourd'hui ce cognitif s'instaurer, et elle manque la pensée, non seulement ses moyens, mais ses objets, voire son sujet. Elle rate notre temps.

Émergence

Cette nouveauté n'est pas nouvelle. La pensée algorithmique, qui précéda l'invention, en Grèce, de la géométrie, réémergea en Europe avec Pascal et Leibniz, qui inventèrent deux machines à calculer et, comme Petite Poucette, portèrent des pseudonymes. Formidable mais alors discrète, cette révolution passa inaperçue des philosophes, nourris aux sciences et aux lettres. Entre la formalité géométrique – les sciences – et la réalité personnelle – les lettres – advenait, dès cette époque, une nouvelle cognition des hommes et des choses, déjà prévue dans l'exercice de la médecine et du droit, tous deux soucieux de réunir juridiction et jurisprudence, malade et maladie, universel et particulier. Émergeait là notre nouveauté.

Mille méthodes efficaces utilisent désormais, en effet, procédures ou algorithmes. Héritière directe du Croissant fertile d'avant la Grèce, d'Al Kwarismi, savant perse écrivant en arabe, de Leibniz et de Pascal, cette culture, aujourd'hui, envahit l'aire de l'abstraction et du concret. Lettres et sciences perdent une vieille bataille dont j'ai dit jadis qu'elle commença au *Ménon*, dialogue de Platon, où Socrate géomètre méprise un petit esclave qui, loin de démontrer, use de procédures. Ce serviteur anonyme, je l'appelle aujourd'hui Petit Poucet : il l'emporte sur Socrate ! Retournement plus que millénaire dans la présomption de compétence !

La nouvelle victoire de ces vieilles procédures vient de ce que l'algorithmique et le procédural s'appuient sur des codes... Nous revenons aux noms.

Éloge du code

Voilà, justement, un terme (*codex*) de tout temps commun au droit et à la jurisprudence, à la médecine et à la pharmacie. Or, aujourd'hui, la biochimie, la théorie de l'information, les nouvelles technologies s'en emparent, et, de là, le généralisent au savoir et à l'action en général. Jadis et naguère, le vulgaire n'entendait goutte aux codes juridiques ni à ceux des médicaments ; ouverte et fermée, leur écriture pourtant affichée ne restait lisible qu'aux doctes. Un code ressemblait à une pièce à deux côtés, pile et face, contradictoires : accessible et secret. Nous vivons depuis peu dans la civilisation de l'accès. Le correspondant linguistique et cognitif de cette culture y devient le code, qui le permet ou l'interdit. Or comme justement le code institue un ensemble de correspondances entre deux systèmes à traduire l'un dans l'autre, il possède les deux faces dont nous avons besoin dans la circulation libre des flux dont je viens de décrire la nouveauté. Il suffit de coder pour préserver l'anonymat en laissant libre l'accès.

Or le code, c'est le vivant singulier ; or le code, c'est tel homme. Qui suis-je, moi, unique, individu, générique aussi bien ? *Un chiffre indéfini, déchiffrable, indéchiffrable,* ouvert et fermé, social et pudique, accessible-inaccessible, public et privé, intime et secret, inconnu parfois de moi et exhibé en même temps. J'existe, donc je suis un code, calculable, incalculable comme l'aiguille d'or plus le tas de paille où, enfouie, elle dissimule son éclat. Mon ADN, par exemple, à la fois ouvert et fermé, dont le chiffre m'a charnellement construit, intime et public comme les *Confessions* de saint Augustin, combien de signes ? *La Joconde,* combien de pixels ? Le *Requiem* de Fauré, combien de bits ?

Médecine et droit nourrissaient depuis longtemps cette idée de l'homme comme code. Le savoir et les pratiques la confirment aujourd'hui, dont les méthodes utilisent *procédures* et *algorithmes*; le code fait naître un nouvel *ego*. Personnel, intime, secret? Oui. Générique, public, publiable? Oui. Mieux, les deux: double, je l'ai déjà dit du pseudonyme.

Éloge du passeport

Les anciens Égyptiens distinguaient, dit-on, le corps humain de son âme, comme nous, mais ajoutaient à cette dualité un double, Ka. Certes, nous savons reproduire le corps, dehors, par science, écrans et formules; et décrire l'âme intime, en *Confessions*, comme Rousseau – combien de signes? Puis-je, de même, reproduire mon double, accessible et publiable bien qu'indéfini et secret? Il suffit de le coder. En généralisant à toutes les données possibles, intimes, personnelles et sociales, la carte Vitale, par exemple, inventons un Ka, passeport universel codé: ouvert et fermé, double public et secret sans contradiction. Quoi de moins étrange? Quoique j'essaie de penser par moi-même, je parle en langue commune.

Cet *ego* peut, en âme et conscience, doucement se confesser, mais aussi se glisser, en matière plastique dure, dans la poche. Sujet, oui; objet, oui; double donc, encore. Double comme un patient, douloureux singulièrement, mais offert, comme un paysage, au regard médical. Double, compétent, incompétent... double comme un citoyen, public et privé.

Image de la société d'aujourd'hui

En des temps inoubliables, quelques héros voulurent construire une tour haute, ensemble. Venus de terres disparates, locuteurs d'idiomes intraduisibles, ils n'y purent parvenir. Pas de compréhension, pas d'équipe possible ; pas de collectif, pas d'édifice. La tour de Babel sortit à peine de terre. Des milliers d'années passèrent.

Dès qu'en Israël, à Babylone ou vers Alexandrie, prophètes ou scribes parvinrent à écrire, autant d'équipes devinrent possibles et la pyramide monta, ainsi que le temple et le ziggourat. S'achevèrent. Des milliers d'années passèrent.

Un beau matin, à Paris, un rassemblement humain nommé Exposition universelle donna lieu à un essai pareil. Sur sa page, une tête experte dessina un plan et, après avoir choisi les matériaux, calcula leur résistance et entrelaça des croisillons d'acier jusqu'à trois cents mètres de haut. Depuis, la tour Eiffel veille sur la rive gauche de la Seine.

Des pyramides d'Égypte jusqu'à elle, les premières en pierres, la dernière de fer, la forme globale reste stable ; stable en l'état, stable comme l'État, ces deux mots n'en faisant qu'un. L'équilibre de statique rejoint le modèle du pouvoir, invariant à travers dix variations apparentes, religieuses, militaires, économiques, financières, expertes…, puissance toujours détenue par quelques-uns, en haut, étroitement unis par l'argent, la force armée ou autres appareils propres à dominer une base large et basse. Entre le monstre de roche et le dinosaure de fer, pas de changement notable, la même forme se montrant plus ajourée, transparente, élégante à Paris, compacte et ramassée au désert, en tous cas pointe à la cime, évasée à la base.

La décision démocratique ne change rien à ce schéma. Asseyez-vous en rond, par terre, et vous serez égaux, disaient les anciens Grecs. Rusé, ce mensonge fait semblant de ne pas voir, au bas de la pyramide ou de la Tour, le centre de l'assemblée qui marque sur le sol la projection du sommet pyramidal, le lieu où atterrit sa cime sublime. Centralisme démocratique, disait le parti communiste jadis, en reprenant cette vieille illusion scénique, alors qu'au centre proche veillaient Staline et séides, qui déportaient, torturaient, tuaient. À défaut d'un réel changement, nous, sujets de la périphérie, préférons une puissance lointaine, tout en haut de l'axe, que ce terrifiant voisin. Nos aïeux français firent la Révolution moins contre le roi, plutôt populaire, que pour supprimer le méchant baron proche.

Chéops, Eiffel, même État.

Michel Authier, concepteur génial, avec moi, son assistant, projetons d'allumer un feu ou de planter un arbre face à la tour Eiffel sur la rive droite de la Seine. Dans des ordinateurs, dispersés ailleurs ou ici, chacun introduira son passeport, son Ka, image anonyme et individuée, son identité codée, de sorte qu'une lumière laser, jaillissante et colorée, sortant du sol et reproduisant la somme innombrable de ces cartes, montrera l'image foisonnante de la collectivité, ainsi virtuellement formée. De soi-même, chacun entrera en cette équipe virtuelle et authentique qui unira, en une image unique et multiple, tous les individus appartenant au collectif disséminé, avec leurs qualités concrètes et codées. En cette icône haute, aussi haute que la tour, les caractéristiques communes s'assembleront en une sorte de tronc, les plus rares en des branches et les exceptionnelles en feuillages ou bourgeons. Mais comme cette somme ne cesserait de changer, que chacun avec chacun et que chacun après chacun se transformerait de jour en jour, l'arbre ainsi levé vibrerait follement, comme embrasé de flammes dansantes.

Face à la Tour immobile, ferreuse, portant, orgueilleuse, le nom de l'auteur et oublieuse des milliers qui ferraillèrent l'ouvrage, dont certains moururent là, face à la Tour porteuse, en haut, de l'un des émetteurs de la voix de son maître, dansera, nouvelle, variable, mobile, fluctuante, bariolée, tigrée, nuée, marquetée, mosaïque, musicale, kaléidoscopique, une tour volubile en flammèches de lumière chromatique, représentant le collectif connecté, d'autant plus réelle, pour les données de chacun, qu'elle se présentera virtuelle, participative – décidante quand on le voudra. Volatile, vive et douce, la société d'aujourd'hui tire mille langues de feu au monstre d'hier et d'antan, dur, pyramidal et gelé. Mort.

Babel, stade oral, pas de tour. Des pyramides à Eiffel, stade écrit, État stable. Arbre en flammes, nouveauté vivace.

Enchantée mais sévère, Petite Poucette : à rester à Paris, je vous trouve vieux, tous deux. Faites aussi flamber cet arbre volatil sur les rives du Rhin, pour qu'y dansent aussi en image mes amies allemandes ; en haut du col Agnel, pour chanter avec mes collègues italiennes ; le long du beau Danube bleu, sur les rives de Baltique… Vérités en deçà de la Méditerranée, de l'Atlantique et des Pyrénées, vérités au-delà, vers les Turcs, Ibères, Maghrébins, Congolais, Brésiliens…

Janvier 2012

Table des matières

Delta → philly.   G N N < T A
                   1 7 9 4 . A T C → P H C
Hertz Atlanta :   F 6 4 3 4 8 1 4 9 1 9
                   Tel . 4 0 4 5 3 2 9 2 5

Cet ouvrage a été imprimé en France
par CPI Bussière
à Saint-Amand-Montrond (Cher)
en septembre 2012

No d'édition : 090605-05
No d'impression : 123451/1
Dépôt légal : mars 2012.